À J. A. B.
C. B.

**À ma nièce Eleonora
et mon neveu Alessandro**
L. G.

Publié initialement en 2011 par Walker Books Ltd.,
87 Vauxhall Walk, Londres SE11 5HJ, R.-U.

Titre original :
Lunchbox The story of your food
ISBN 978-1-4431-1498-1

Édition publiée par les Éditions Scholastic,
604, rue King Ouest, Toronto (Ontario) M5V 1E1 CANADA,
avec la permission de Walker Books Ltd.

5 4 3 2 1   Imprimé en Chine CP139   11 12 13 14 15

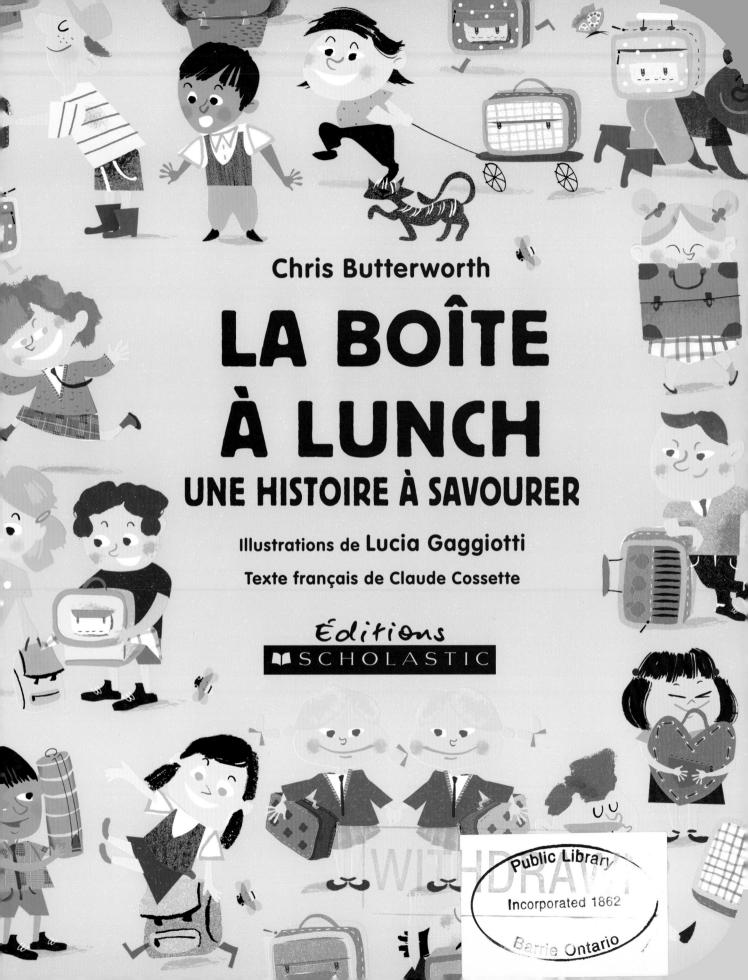

Chris Butterworth

LA BOÎTE À LUNCH
UNE HISTOIRE À SAVOURER

Illustrations de **Lucia Gaggiotti**

Texte français de Claude Cossette

Éditions **SCHOLASTIC**

L'un des MEILLEURS moments de la journée, c'est quand tu ouvres ta boîte à lunch pour voir ce qu'il y a dedans. Ta maman ou ton papa l'a remplie de choses délicieuses. Ils se sont certainement procuré tous ces aliments à l'épicerie, mais la nourriture ne pousse pas dans les épiceries!

Alors où étaient
ces aliments avant d'arriver
à l'épicerie?

Comment TOUS ces aliments sont-ils arrivés dans ta boîte à lunch?

D'OÙ VIENT LE **PAIN** DE TON SANDWICH?

Un fermier a semé des graines au printemps.
À l'été, ces graines étaient devenues
de longs épis de blé ondulants,
chargés de gros grains
bien mûrs.

Le fermier a coupé le blé avec
une moissonneuse-batteuse géante
et l'à envoyé à la minoterie.

GRAINS

LEVURE

SUCRE

Le meunier a moulu les grains pour les transformer en farine, que des camions ont transportée jusqu'à la boulangerie.
Le boulanger a mélangé la farine avec de l'eau, du sucre et de la levure. Il a ensuite pétri le tout pour en faire une pâte souple, et l'a mise à cuire dans un four très chaud.

EAU

FARINE

Il en est sorti du bon pain, prêt à être livré dans les épiceries!

Prends une bouchée du pain de ton sandwich. MIAM, MIAM! Il est croustillant à l'extérieur et moelleux au centre.

D'OÙ VIENT LE FROMAGE DE TON SANDWICH?

Le fromage a d'abord été du lait, qui vient des vaches. Un fermier a trait les vaches, et un camion-citerne de la crèmerie est venu chercher le lait.

2. Ils y ont ajouté des bactéries pour le faire surir et épaissir.

1. À la crèmerie, les fromagers ont fait chauffer le lait.

5. Ils ont égoutté le petit-lait, coupé les grumeaux caoutchouteux, ajouté du sel et pressé le tout pour former des blocs.

3. Ensuite, ils ont ajouté de la présure. Et le mélange s'est encore transformé...

4. en grumeaux flottant dans du petit-lait.

6. Ils ont entreposé les blocs pendant des mois jusqu'à ce que le fromage soit bien à point.

Croque dans ton fromage. Il est doux et crémeux, mais il **PICOTE** aussi la langue!

13

D'OÙ VIENNENT TES **TOMATES?**

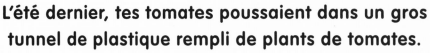

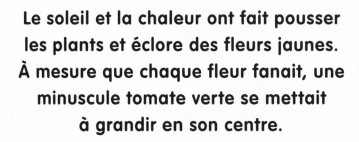

L'été dernier, tes tomates poussaient dans un gros tunnel de plastique rempli de plants de tomates.

Le soleil et la chaleur ont fait pousser les plants et éclore des fleurs jaunes. À mesure que chaque fleur fanait, une minuscule tomate verte se mettait à grandir en son centre.

Jour après jour, les plants ont absorbé de l'eau et les tomates ont grossi. Elles sont devenues orangées, puis rouges.

Lorsque les tomates ont formé de belles grappes bien mûres, le producteur les a cueillies...

1. triées...

2. emballées...

3. puis expédiées dans les épiceries.

Mets-en une dans ta bouche et SAVOURE son jus aigre-doux.

D'OÙ VIENT TON JUS DE POMME?

Au printemps dernier, les pommiers dans le verger étaient tous en fleurs. L'été, de minuscules pommes se sont mises à pousser sur chaque tige florale. Elles ont continué leur croissance et à l'automne, il y en avait plein les arbres. Elles étaient mûres et sucrées.

Des groupes de cueilleurs ont grimpé aux arbres et en ont rempli leurs paniers.

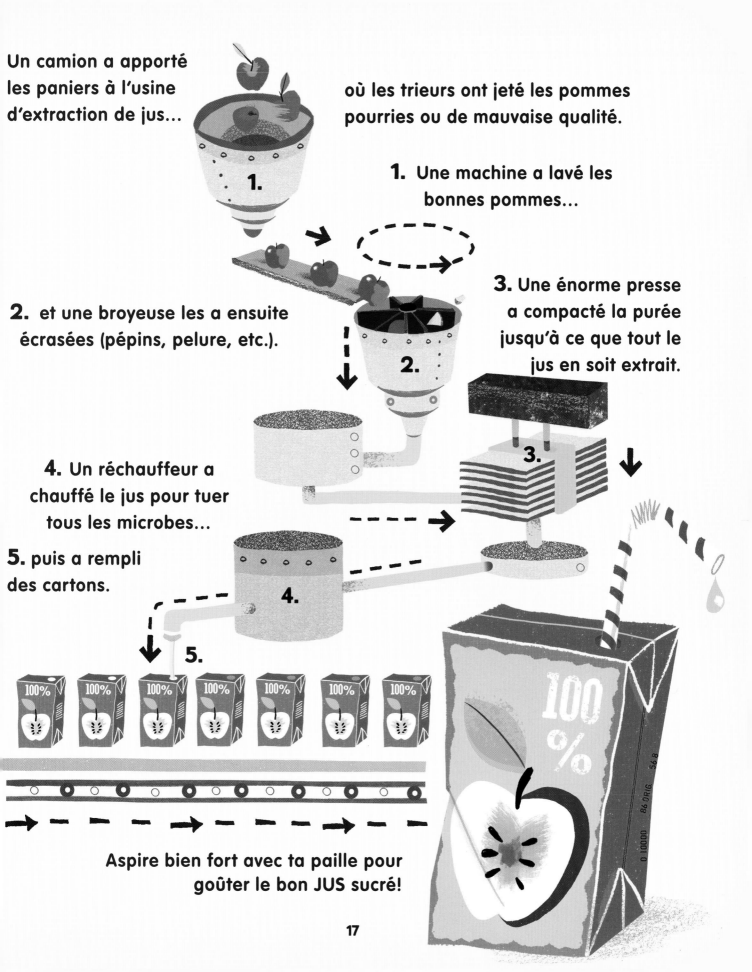

Un camion a apporté les paniers à l'usine d'extraction de jus...

où les trieurs ont jeté les pommes pourries ou de mauvaise qualité.

1. Une machine a lavé les bonnes pommes...

2. et une broyeuse les a ensuite écrasées (pépins, pelure, etc.).

3. Une énorme presse a compacté la purée jusqu'à ce que tout le jus en soit extrait.

4. Un réchauffeur a chauffé le jus pour tuer tous les microbes...

5. puis a rempli des cartons.

Aspire bien fort avec ta paille pour goûter le bon JUS sucré!

100%

D'OÙ VIENNENT TES CAROTTES?

Au printemps dernier, tes carottes poussaient
dans les champs d'une ferme maraîchère.
Tu n'aurais alors vu aucune carotte, seulement
de longs rangs de feuilles duveteuses.

Tandis que les feuilles
grandissaient sous
le soleil d'été, les
racines s'enfonçaient
encore plus loin dans la
terre pour absorber l'eau
et devenaient orange.
Vers la fin de l'été, elles
avaient tellement grossi que
leur partie supérieure
sortait du sol. Elles
étaient devenues
des carottes.

Des cueilleurs les
ont récoltées.

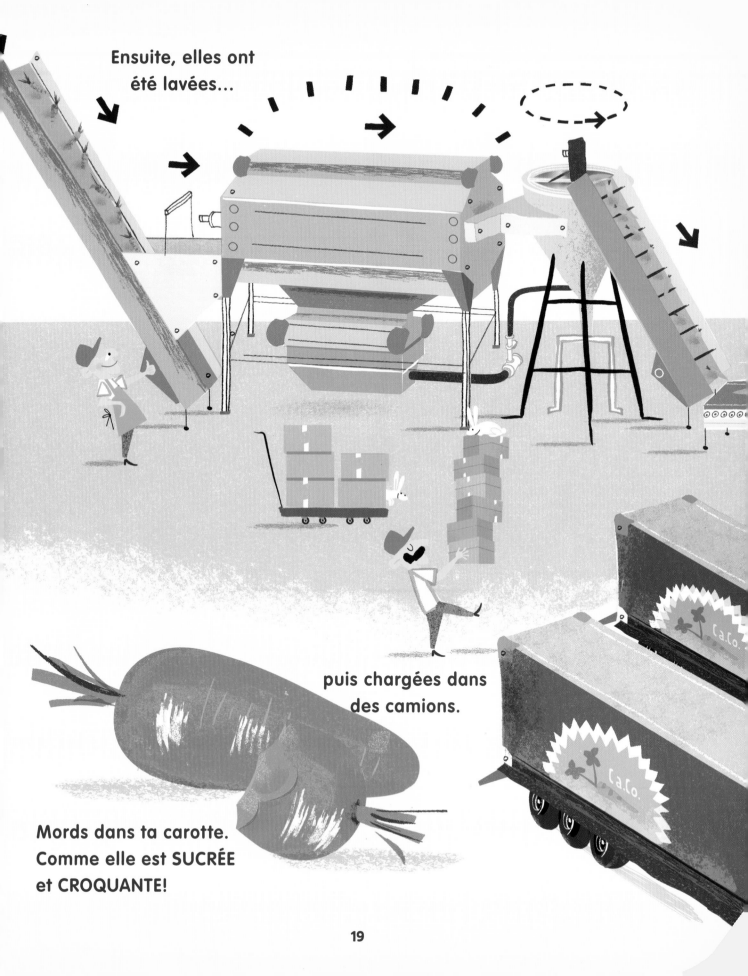

Ensuite, elles ont été lavées...

puis chargées dans des camions.

Mords dans ta carotte. Comme elle est SUCRÉE et CROQUANTE!

D'OÙ VIENNENT LES BRISURES DE **CHOCOLAT** DANS TON BISCUIT?

Les biscuits sont faits de farine, de sucre et de beurre, mais celui-ci contient aussi des brisures de chocolat.

Le chocolat est d'abord une fève, ou plutôt beaucoup de fèves qui poussent à l'intérieur de cabosses sur un cacaoyer.

Les cabosses sont cueillies dans l'arbre. Ensuite, on les ouvre pour en extraire les fèves que l'on fait sécher au soleil.

Les fèves séchées sont ensuite envoyées dans une usine, parfois à l'autre bout du monde.

À l'usine, elles sont nettoyées, puis... **1.** rôties...

2. et broyées pour en faire une pâte épaisse et collante.

3. On y ajoute du sucre, mais la pâte est toujours graveleuse. Alors on l'écrase, on la brasse, on la fait fondre puis refroidir...

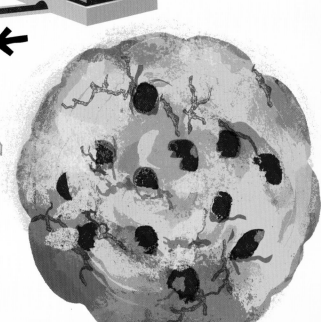

1.

2. →

3.

pour qu'elle devienne vraiment onctueuse (faire du chocolat demande beaucoup de travail).

4.

4. Finalement, le chocolat est versé dans des moules en forme de rectangles.

Ces blocs sont transformés en petits morceaux qui vont FONDRE encore, mais dans ta bouche!

D'OÙ VIENT TA CLÉMENTINE?

Ta clémentine est une sorte de baie qui a poussé sur un arbre. Au début de l'été, les arbres dans le bosquet étaient couverts de fleurs cireuses au parfum sucré.

Quand les fleurs ont fané, une minuscule clémentine verte s'est mise à pousser dans chacune d'elles.

Les clémentines ont grossi sous le chaud soleil, passant du vert au jaune. Lorsque les températures plus fraîches de l'hiver sont arrivées, les clémentines étaient devenues orangées. Elles étaient tellement lourdes et juteuses que les branches ployaient.

Des cueilleurs ont grimpé sur des échelles pour les atteindre. Ils devaient porter des gants afin de ne pas abîmer le fruit tendre à l'intérieur de la pelure.

Ils les ont lavées puis mises dans des caisses. Le producteur a envoyé les caisses au marché dans des camions.

C'est facile de peler une clémentine! Ensuite, il ne te reste plus qu'à déguster ses quartiers JUTEUX : il n'y a pas un seul pépin!

Tu as tout dévoré – de la première bouchée de pain au dernier quartier de fruit! Ta nourriture provient de champs et de fermes, de vergers, de bosquets et de crèmeries. Il a fallu beaucoup de gens pour qu'elle vienne jusqu'à toi – fermiers et boulangers, fromagers e chocolatiers, cueilleurs, emballeurs et camionneurs. Et maintenant, la nourriture est dans ton ventre et commence à faire son travail...

qui consiste à t'aider à grandir, à te développer et à te donner de l'énergie et de l'entrain!

Un dîner n'est pas suffisant pour que tu grandisses et restes en bonne santé. Chaque jour, tu dois choisir des aliments dans chaque partie de cette assiette, mais surtout dans les catégories « fruits et légumes » et « hydrates de carbone ».

HYDRATES DE CARBONE

Ces aliments te rassasient et te fournissent toute l'énergie dont tu as besoin...

FRUITS et LÉGUMES

Ton corps a besoin de beaucoup de fruits et de légumes pour rester en bonne santé.

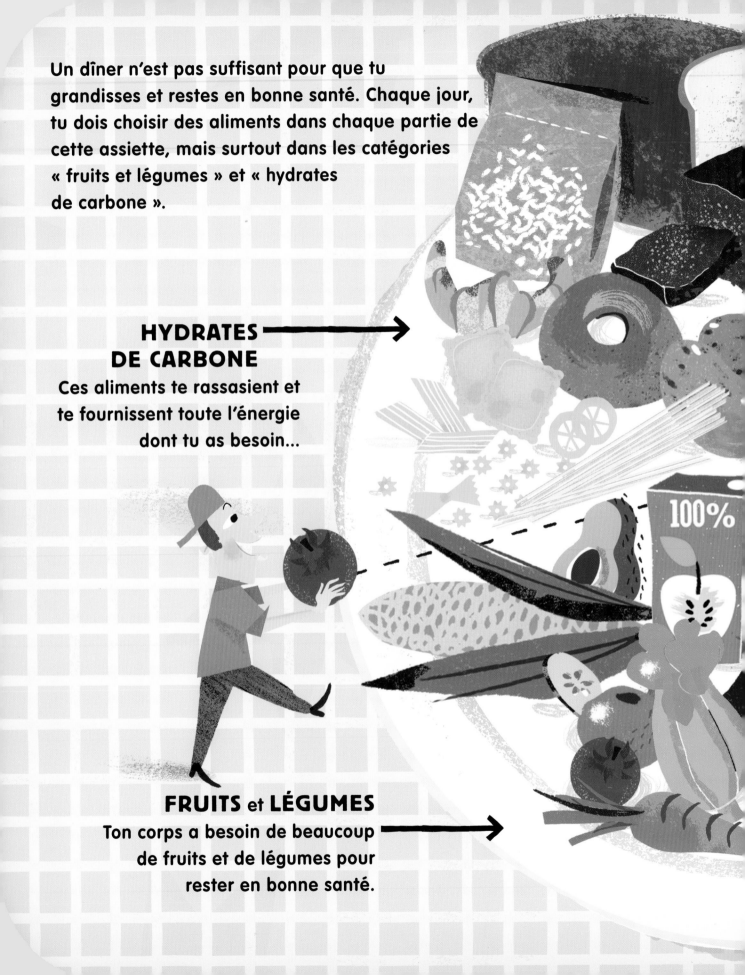

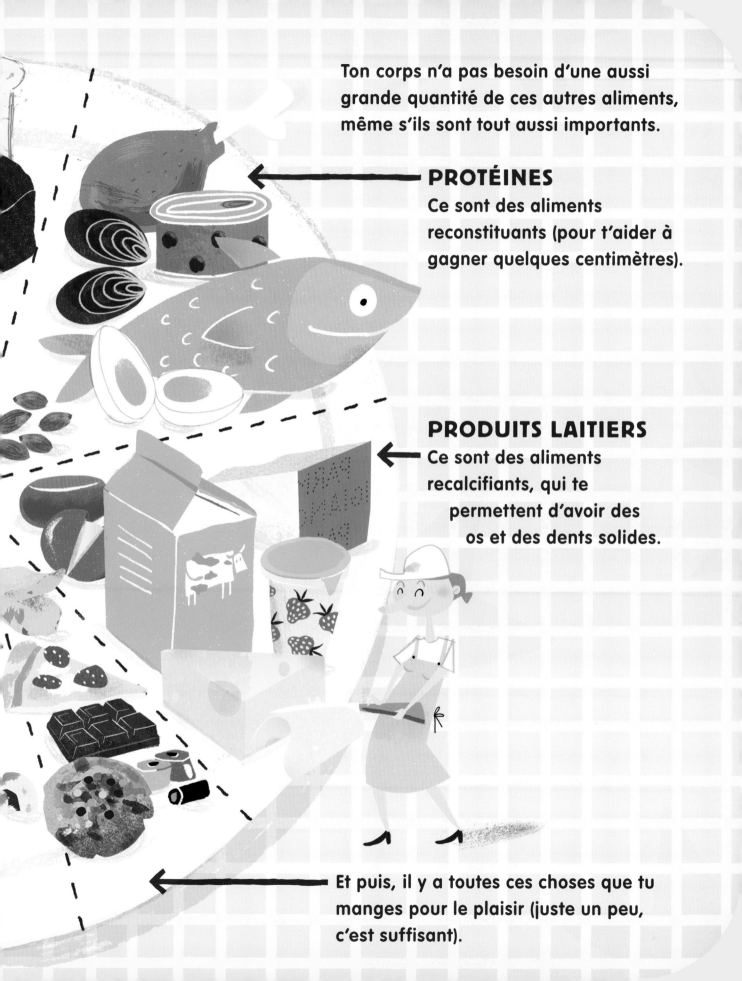

Ton corps n'a pas besoin d'une aussi grande quantité de ces autres aliments, même s'ils sont tout aussi importants.

PROTÉINES

Ce sont des aliments reconstituants (pour t'aider à gagner quelques centimètres).

PRODUITS LAITIERS

Ce sont des aliments recalcifiants, qui te permettent d'avoir des os et des dents solides.

Et puis, il y a toutes ces choses que tu manges pour le plaisir (juste un peu, c'est suffisant).

INFORMATION SUR LES ALIMENTS

Ton corps contient principalement de l'eau, alors tu as besoin d'environ six boissons par jour pour rester bien hydraté. Il te faut surtout boire de l'eau (pas des boissons gazeuses, qui contiennent beaucoup de sucre).

Ton corps grandit sans cesse (même pendant ton sommeil!). Alors, souviens-toi de ne pas sauter le déjeuner : il donne à ton corps de l'énergie pour passer la journée.

Si tu passes trop de temps à ne rien faire, ton corps ne gardera pas la forme. Tu peux courir après un ballon, ton chien ou tes amis, peu importe, mais dépense-toi environ une heure par jour!

Manger cinq sortes de fruits et de légumes chaque jour est bon pour toi. Pourquoi ne pas en essayer un nouveau cette semaine?

INDEX